Was sagn S' zu dem?

Was sagn S' zu dem?

Aechte bayrische Witze
wiederum
mundgerecht zubereitet
von Bernhard Pollak
garniert
von Ernst Hürlimann

Süddeutscher Verlag

ISBN 3-7991-6088-4

Printed in Germany. Schrift: Garamond Antiqua
Druck: Offsetdruck Erich Kirmayr, München
Bindearbeit: Conzella, München

Vorwort

Was sagn S' zu dem? frage ich diesmal, und ich wünsche und hoffe, daß Ihnen der und jener zusagt, daß Ihnen viele entsprechen, daß Sie eben oft lachen können oder müssen, was ja der Zweck eines Witzbuchs ist. Manchmal erzählen mir Leser meiner bisherigen drei Büchln ihre Lieblingswitze. Dabei bemerke ich eine erfreuliche Verschiedenartigkeit des Geschmacks, der von den sinnfälligen bis zu den hintersinnigeren seine Auswahl trifft. Nun, mit Lieblingswitzen verhält es sich halt wie mit Lieblingsspeisen.

Natürlich begegnet der Leser auch Witzen, die er schon kannte, also manchem alten Bekannten. Der hat einen Bart, sagte man früher. Aber diese Abschätzigkeit stimmt nicht mehr ganz, denn die Bärte haben sich in unserer Zeit verjüngt. Außerdem habe ich sie derart gestutzt und gestriegelt, daß sie sich in dieser Witzversammlung sehen lassen können. Der Bekanntheitsgrad an sich muß nicht gegen einen Witz sprechen. Lustig muß er sein.

Nach »Ham S' den scho ghört?«, »I woaß no oan!«, »Und jetzt no oan!« meinte ich zunächst, jetzt sei kein Körnlein mehr aufzupicken, wenn es auch ringsum vieltausendfach witzelt. Ich stocherte nocheinmal nach »aechten bayrischen Witzen« und solchen, die es werden konnten. Ich wurde wiederum fündig, probierte sie, ob sie vertraut schmeckten, und bereitete sie auf die nun schon bekannte und, wie es scheint, beliebte Weise zu, nämlich mundgerecht.

B.P.

Eine Mutter ist mit ihren zwei kleinen Buben auf dem Land. Da sehen sie einen Storch fliegen und die Mutter sagt: »So a Storch hat euch bracht!« – Drauf blinzelt ein Bub den andern an und fragt ihn: »Solln ma's ihr sagn?«

*

Im Kindergarten lernen die Kleinen das Weihnachtslied ›Ihr Kinderlein kommet‹. Bei »die redlichen Hirten knien betend davor« fragt das Fräulein: »Was bedeutet ›redlich‹?« – Das kleine Agathl hebt den Finger und sagt: »Des bedeit, daß de Hirtn rote Haar ghabt ham.«

*

Die kleine Rosi und die kleine Resi spielen mit ihren Puppen. Da sagt die Rosi: »Älla-lätsch, i woaß scho, wia ma Kinda kriagt!« – »Ällalätsch«, sagt die Resi, »i woaß scho, wia ma koane kriagt!«

*

Der kleine Hansi fragt den Vater: »Du, Babba, warum hast denn du d' Mamma gheirat?« – »Hastas ghert«, sagt der Vater zur Mutter, »da Hansi vasteht's aa net!«

Die Mutter ist im Laden beim Einkaufen. Ihr Bub muß heraußen auf den Kinderwagen aufpassen, in dem sein kleines Schwesterl liegt. Eine Frau kommt aus dem Laden, schaut in den Kinderwagen und sagt: »Du hast aba a netts Schwesterl!« – »Nett scho«, sagt der Bub, »aba recht vafressn is's!« – »No, was ißt's denn nacha gern?« fragt die Frau. – »De frißt ois', was i ihra gib«, sagt der Bub, »Pfenning, Knöpf, Kirschnkern, Fliagn – ois' frißt's!«

*

Der Pepperl fragt die Mutter: »Du, Mamma, wia bin denn i auf d' Welt kemma?« – »No ja«, sagt sie, »da Storch hat di bracht.« – »Und wia bist du auf d' Welt kemma?« fragt er. – Sie sagt: »Mi hat aa da Storch bracht.« – »Und da Babba?« fragt er. – Sie sagt: »Den aa.« – »Und d' Oma und da Opa«, fragt er, »hat dee vielleicht aa da Storch bracht?« – »No freili«, sagt die Mutter. – »Ja gibt's denn dees aa«, sagt der Pepperl, »in unsara Familie hat's scheint's überhaupts koa normale Entbindung gebn!«

*

Die Großmutter fragt den kleinen Enkel: »No, Hansi, teats in da Schui aa scho schreibn lerna?« – »Freili, Oma«, sagt der Hansi, »soll i da zoagn, wiar a I-Dipferl geht?«

*

Der kleine Sepperl ist beim Beichten. Da sagt er: »Ich habe begehrt meines Nächsten Weib.« – »Ja, wie kommst denn auf sowas?« fragt der Pfarrer. – »Weil«, sagt der Sepperl, »weil d' Frau Huaba bessere Dampfnudln macht ois wia mei Mamma.«

*

Die Großmutter ist auf Besuch da. In der Früh rennt der kleine Hansi in ihr Zimmer. Sie liegt noch im Bett und ihr Gebiß liegt noch in einem Glas. Und der Hansi fragt: »Du, Oma, wer lacht denn da auf'm Nachtkastl?«

*

Der kleine Toni ist bei den Nachbarn zum Mittagessen eingeladen. Zuvor wird gebetet. Dann sagt der Toni: »Früahra hamma aa vorm Essn bet', aba jetz bloß no, wenn's Schwammerl gibt.«

Der Maxl liest gerade in einem Buch. Da
fragt er den Vater: »Du, Babba, was is'n a
Mumie?« – »No ja«, sagt der Vater, »des is
a eigmachta Kenig.«

Zwei Mütter reden miteinander über die Aufklärung der Kinder. Die eine sagt: »Des hat mei Mo recht guat gmacht.« – »Naa«, sagt die andere, »da laß i den mein' net hi. Der werd bei soichane Sachan glei a so ordinär.«

*

Die zünftige Großmutter läßt sich die Haare kurz schneiden. Dann geht sie in eine Boutique und kauft sich schicke Hosen und einen knappen Pulli. Daheim zieht sie sich die neuen Sachen an. Dann sagt sie zu ihrem Enkel: »Gell, Hansi, jetzt schau ich aus wie eine junge Frau!« – »Naa«, sagt der Hansi, »wiar a oida Mo.«

*

Ein Vater geht mit seinem kleinen Sohn am Isarufer bei Grünwald spazieren. Auf einmal rutscht der Bub aus und fällt ins Wasser. Ein junger Mann reißt sich die Joppe herunter, springt in die Isar und schwimmt dem Kleinen nach. Er packt ihn und trägt ihn zu seinem Vater. Der sagt: »Des is nett von Eahna – aba sei Kapperl fehlt no!«

Der Franzl will den Hansl zum Spielen abholen. Aber der Hansl sagt: »I kon net weg – i muaß mein Babba bei meina Hausaufgab helfa!«

Ein Vater erkundigt sich beim Lehrer über seinen Sohn. »Es is scho a rechts Kreiz mit'n Hansi«, sagt der Lehrer, »er macht halt im Rechtschreibn allaweil de gleichn Fehla.« – »No ja«, sagt der Vater, »wenigstns hat a a guats Gedächtnis!«

Der Vater sagt zum Maxl: »Du, heit hab i dein Lehra troffa!« – »Gell, Babba, des is a eklhafta Mensch«, sagt der Maxl, »der richt' oiwei d' Leit a so aus!«

*

Die Mutter schaut ins Zimmer hinein. Da sitzt der kleine Sohn mit einem Schulbuch vorm Bildschirm. Drauf sagt sie zum Vater: »De arma Kinda! Jetz müaßn s' sogar scho beim Fernsehgn lerna!«

*

Am letzten Schultag kommt der Maxl mit dem Zeugnis heim. Er geht zum Vater ins Wohnzimmer und sagt: »Bleib sitzn, Babba, i bleib's aa!«

*

Der kleine Franzl, der schon mehrere Geschwister hat, erzählt der Lehrerin, daß er gestern wieder ein Brüderl gekriegt hat. Sie fragt: »Wie heißt's denn?« – Er sagt: »Sebastian hoaßt's.« – Nach ein paar Tagen fragt ihn die Lehrerin: »No, wie geht's dem Sebastian?« – Drauf sagt der Franzl: »Der hoaßt jetz Alfons – an Sebastian hamma scho ghabt!«

Als die Lehrerin ins Klasszimmer kommt, hebt der Wasti gleich den Finger und sagt: »Freilein, vo heit o hoaß i nimma Moosbichla, sondan Grasbrunna – mir ham gheirat!«

Am Schwarzen Brett im Schulhaus pappt der Rektor ein Plakat an, auf dem steht: »Es besteht Anlaß, darauf hinzuweisen, daß das Rauchen im Bereich der Schule streng verboten ist. Der Rektor.« – Ein paar Tage darauf erwischt er vor dem Schulhaus einen kleinen Buben, der eine Zigarette raucht. Er faucht ihn an: »Das werde ich deinem Lehrer melden!« – »Aba erscht in an Jahr«, sagt der Bub, »weil i da in d' Schui kimm!«

In der Dorfschule gibt eine Klosterschwester den Religionsunterricht. Heut will sie den Kindern den Unterschied zwischen »sichtbar« und »unsichtbar« beibringen. Sie fragt: »Was ist sichtbar?« – Der Sepperl meldet sich und sagt: »Mei Hosn.« – »Gut«, sagt die Schwester, »und was ist unsichtbar?« – »Dei Hosn«, sagt der Sepperl.

*

Der Turnlehrer macht den Kindern vor, wie man beim Laufen richtig atmet. Er schnauft die Luft mit einem scharfen Ruck durch die Nase ein und läßt sie langsam durch den Mund wieder heraus. Dann fragt er: »Nun, was habt ihr bemerkt?« – Der Maxl hebt den Finger und sagt: »Mir ham bemerkt, wia Sie an Rotz auffizogn ham.«

*

Der Lehrer sagt den Schülern, daß man mit der Energie sparsam umgehen soll, und er fragt, wo man das tun kann. Die Schüler wissen's: »Beim Benzin – beim Öl – bei der Heizung – beim Strom.« Der Lehrer meint, sie sollten das auch daheim sagen. Da hebt der Maxl den Finger und sagt: »Mei Schwesta geht sowieso scho sparsam mit'n Strom um. Wenn am Abnd ihr Freind kimmt, draaht s' oiwei glei 's Liacht aus!«

*

Der Schulrat kommt ins Klasszimmer und schaut sich um. An der Wand hängen Bilder von den Haustieren. Er deutet auf eins, auf dem ein Kalb zu sehen ist, und er fragt den Hansi: »Was ist das für ein Tier?« – »A Kaiwe«, sagt der Hansi. – Der Schulrat möchte »ein Kalb« hören und er fragt weiter. Aber einer nach dem andern sagt: »A Kaiwe.« – Da wispert ihm der Lehrer ins Ohr: »Herr Schulrat, des is wirkli a Kaiwe!«

*

Der Lehrer teilt die Noten aus. Jetzt ist der Hintermeier Josef dran. Der Lehrer sagt zu ihm: »Wenn dein Vater das Zeugnis sieht, muß er ja graue Haare kriegen!« – Aber der Sepperl meint: »Da daad si mei Babba gfrein, der hat a Plattn!«

*

Der Pfarrer will seinen Schulkindern das Wort »ewig« erklären. Er sagt: »Gott ist schon dagewesen, bevor es die Welt gegeben hat, und er wird auch noch da sein, wenn die Welt schon längst untergegangen ist. Was ist er also?« – Der Maxl hebt den Finger und sagt: »Er is a ganz a Zaacha!«

*

Beim Firmungsunterricht fragt der Pfarrer die Kinder: »Wenn ihr den Heiligen Geist in euch habt und begeht eine schwere Sünde – was tut dann der Heilige Geist?« – Der Maxl meldet sich als erster und sagt: »Dann geht der Heilige Geist von uns fort.« – »Ganz recht«, sagt der Pfarrer. »Und was tut der Heilige Geist, wenn ihr eine läßliche Sünde begeht?« – Der Hansi hebt den Finger und sagt: »Nacha geht a net fort, aba schtinga tuat a eahm recht!«

*

Der Katechet will den Kindern beibringen, was ein Wunder ist. Unter anderem erzählt er ihnen auch die Geschichte vom Jonas und dem Walfisch; wie der Walfisch den Jonas verschluckt und nach drei Tagen wieder ausgespuckt hat. Dann fragt er: »Wer von euch kann mir ein noch größeres Wunder sagen?« – Der Maxl hebt den Finger und sagt: »Wenn da Jonas an Walfisch verschluckt hätt!«

*

Die junge Katechetin möchte den Kindern die Sprache der Bibel verständlich machen. Zum Beispiel die Stelle bei der Versuchung Jesu, wo es heißt: »Und Jesus sprach: hebe dich hinweg, Satan!« Die Katechetin fragt: »Wie hätte Jesus noch sagen können?« – Der Maxl hebt den Finger und sagt: »Schleich di, bläda Deifi!«

*

Ein Bursch kniet im Beichtstuhl und beichtet: »Ich habe ein Mädchen berührt.« – »Wo hastas denn berührt?« fragt der Beichtvater. – »Zwischn ...« stottert der Bursch. – »Aha«, sagt der Beichtvater. – Und der Bursch sagt: »Zwischn Deisnhofn und Holzkirchn.«

*

Ein Mädchen beichtet. Drauf fragt's der Beichtvater: »Ja, was ham denn Sie für an Beruf?« – »Ich bin Striptease-Tänzerin«, sagt das Mädchen. – »Des hab i no nia ghört«, sagt der Pfarrer, »was macha S' denn da?« – »Ich zeig es Ihnen«, sagt das Mädchen, geht aus dem Beichtstuhl heraus, zieht die Bluse aus, steigt aus dem Rock, zieht die Strümpfe aus, und wie's gerade den Büstenhalter aufmachen will, sagt der Pfarrer: »Um Godswuin, hörn S' auf, ziang S' Eahna wieda o!« – Nach dem Mädchen kommt ein altes Weiberl in den Beichtstuhl und sagt: »Gelln S', Herr Pfarra, a soichane Buße gem S' ma bittscheen net auf!«

*

Eine Frau kniet im Beichtstuhl und sagt: »No ja, i hab bloß des übliche to, lauta läßliche Sachan. Aba mit mein Mo hab i an rechtn Vadruß, weil a 's garnet mit da Arbat hat, aba mit andere Weiba hat a 's, und sauffa tuat a und kartnschpuin tuat a ...« Wie sie gerade einschnauft, sagt der Pfarrer: »Also dann beten Sie zur Buße für Ihre Sünden zwei Vaterunser und für die Sünden Ihres Mannes drei Rosenkränz.«

Nach dem Bittgang um Segen für die Feldfrüchte gehen die Bauern zum Gottesdienst in die Kirche. Der Pfarrer sagt in seiner Predigt: »Ihr müsst nur ein starkes Gottvertrauen haben, dann wird er euch eine gute Ernte schenken!« – Da wispert die Hallermoserin ihrem Mann zu: »I moan, mir betn liaba a paar Vaterunsa!«

*

Nach dem Sonntagsgottesdienst sagt ein Sommerfrischler zu einem Einheimischen: »Euer Pfarrer hat euch in seiner Predigt aber gehörig die Meinung gesagt – laßt ihr euch das gefallen?« – »No ja«, sagt der Einheimische, »dafür werd a heit abnd beim Schafkopfa wieda sauba grupft!«

*

Der neue Pfarrer geht in einem recht farbigen Anzug durchs Dorf. Er trifft den Bürgermeister und der sagt: »Aba Herr Pfarra, a geistlicha Herr kon doch net a so gscheckat umanandalaffa!« – »Auf des kommt's net o«, meint der Pfarrer, »d' Hauptsach is, daß d' Seel schwarz is!«

In dem kleinen Ort ist ein Striptease-Lokal aufgemacht worden. Der Pfarrer nimmt Anstoß daran, manche Männer aber nicht. Drum predigt er am Sonntag dagegen: »Ihr müßt euch diese Weibsbilder ohne ihre geschneckelten Haare, ohne ihre lüsternen Augen, ohne ihre feisten Busen, ohne ihre aufreizenden Haxen und andere Verführungsmittel vorstellen – was ist dann noch dran an ihnen? Ich sage euch, zwegen dem, was dann noch an ihnen dran ist, brauchts ihr nicht in dieses verrufene Lokal gehen, das habts ihr bei euch daheim auch!«

In einem Dorf sollen Berliner Ferienkinder aufgenommen werden. In seiner Predigt am Sonntag erzählt der Pfarrer den Leuten, wie arm diese Kinder dran sind, und er sagt: »Ich hoffe, daß ich nach dem Gottesdienst viele Anmeldungen bekomme.« – Bevor er nach dem Schlußsegen vom Altar weggeht, sagt er noch: »Also die Frauen, die a Kind wolln, solln zu mir in d' Sakristei kommen!«

*

Der Pfarrer masselt in der Predigt: »In der letzten Zeit wird in unserm Dorf mehr gerauft als wünschenswert ist!«

*

Der Dorfpfarrer sagt zum Bürgermeister: »I muaß jetz auf acht Tag in d' Exerzitien fahrn. Wennz mi brauchts, nacha ruafts mi halt o!« – »Mir braucha Eahna net, Herr Pfarrer«, sagt der Bürgermeister, »daweil kon ja da Mesna mittarocka!«

*

Der Pfarrer trifft ein Madl, das ein Kinderwagl schiebt und außerdem in der Hoffnung ist. »Aba Resi«, sagt er, »i hab da doch gsagt, daß d'as nächste Mal nein sagn sollst!« – »I hab ja naa gsagt«, trenzt die Resi, »wiar a mi gfragt hat, ob i was dagegn hab!«

*

Beim Dorfpfarrer läutet nach Mitternacht das Telefon: »Hier Doktor Meisgeier. Grüaßdi, Untawirt! Mir ham a Gsellschaft bei uns, und da is uns 's Bier ausganga. Sei so guat und lass ma a Tragl bringa!« – »Aba Herr Dokta«, sagt der Pfarrer, »hier is net da Untawirt, sondan da Pfarra!« – »Ja, Sie san guat«, sagt der Doktor Meisgeier, »hocka Sie jetz no im Wirtshaus?!«

*

Ein alter Wermutbruder kommt jeden Mittag an die Klosterpforte und der Franziskanerbruder gibt ihm einen Teller Suppe. Auf einmal bringt er noch drei Wermutbrüder mit. »Oho, was iss'n mit dene da?« fragt der Franziskaner. – »De mechtn aa a Suppn«, sagt der Wermutbruder, »des san meine Kostkinda!«

Der neue Kaplan macht am Abend bei einer Familie einen Hausbesuch. Die Mutter sagt zur vierjährigen Tochter: »So, Reserl, jetzt sagst gutnacht und gehst in dei Betterl!« – Das Reserl sagt gutnacht und gibt der Mutter, dem Vater und den Geschwistern ein Bussl. Dann steht's beim Kaplan. Der wird ganz verlegen und sagt: »Jetzt net, Reserl, erst wennst größer bist!«

*

In einem Wallfahrtsort wird ein Mann von einem Auto angefahren. Er kann aber gleich wieder aufstehen. Im Auto sitzt der Prior von dem Kloster, zu dem die Wallfahrtskirche gehört. Er steigt aus und sagt: »Des tuat ma leid, entschuldigen S' vielmals, da hamma ja no a Glück ghabt! Derf i Eahna für morgn zum Essn eiladn?« – »Guat«, sagt der Mann, »i kimm.« – Am nächsten Tag staunt der Prior, wie sein Gast ganz wehleidig mit Krücken daherhumpelt. »I mecht von Eahna tausnd Mark Schmerznsgeld«, sagt er, »sonst zoag i Eahna o!« – »I gib Eahna de tausnd Mark«, sagt der Prior, »aba wehe, wenn Sie in da nächstn Zeit ohne Krückn dawischt wern! Dann kenna Sie a Wunda dalebn!« – »Aba i«, sagt der Mann, »i bet heit no vor Eahnan Gnadnbuid, nacha wern Sie a Wunda dalebn!«

*

Die Mutter ruft aus der Küche: »Ferdl, Ferdl!« – Nach einer Weile meldet sich der vierzehnjährige Sohn aus seinem Zimmer: »Laß ma mei Ruah, i hab a Madl bei mir!« – »No ja«, sagt die Mutter, »i wollt bloß wissn, obsd scho wieda vorm Fernseha hockst, statt daßd d' Hausaufgab machst!«

*

Der Metzgergesell kommt seit drei Wochen in der Früh zu spät ins Geschäft. Der Meister masselt. Aber der Gesell meint: »Sie san doch aa amoi jung gwesn!« – Drauf sagt der Meister: »Aba net jede Nacht!«

*

Ein Madl steigt vorn beim Fahrer in die Trambahn ein. Der Fahrer sagt: »Mit'n Kindawagn müassn S' hintn eisteign, Freilein!« – »Aber ich hab doch keinen Kinderwagen«, sagt das Madl. – »No ja«, sagt der Fahrer, »nacha wissn S'as, wenn's soweit is!«

Der Sommerfrischler sitzt am Abend auf der Hausbank. Da kommt der Sohn vom Bauern daher und er fragt ihn: »Na, Sepp, wie war denn das Schäferstündchen?« – »Nix war's«, sagt der Sepp, »'s Schaf is net kemma!«

*

Eine Frau sagt zu ihrer Nachbarin: »Da hoasst's allaweil, daß heitzutags de junga Leit net höflich san. Des stimmt net!« Und sie erzählt: »Wiar i heit mit da Trambahn in d' Stadt neigfahrn bin, hab i steh müassn. Auf dem Sitzplatz, nebn dem wo i gstandn bin, is a junga Mann gsessn. Auf oamoi sagt der zu mir: ›Wenn ich aussteige, können Sie meinen Platz haben!‹«

*

Der Hias geht zum Lehrer und sagt: »Bittscheen, Herr Lehra, i brauchad an Liabsbriaf. Daadn Sie mir den schreim?« – »Guat«, sagt der Lehrer, »was soll i denn schreim?« – Drauf sagt der Hias: »Wann i des wissad, nacha kannt i'n ja selba schreim.«

*

Eine Frau kommt ins Universitäts-Sekretariat. Sie fragt einen Beamten: »Mei Tochta hat si mit an Studentn verlobt – wiavui verdient denn so oana im Monat?«

*

Die Frau Haglbauer fragt die Frau Huglberger: »Wia geht's denn mit Eahnane Untamieta? Gell, de san net vaheirat?« – »Naa, des san s' net«, sagt die Frau Huglberger, »aba nix ois wia streitn tean s' de ganze Zeit.« – »No«, sagt die Frau Haglbauer, »nacha vaschteh i net, daß de net heiratn!«

*

Sie sagt: »Jetz lebn ma scho fuchzehn Jahr beinand, jetz kanntn ma doch endli heiratn!« – Er meint: »O mei, wer mag uns jetz no?!«

*

Die Walli und der Schorsch haben geheiratet. Nach drei Monaten kommt das Kind. Bei der Tauffeier sagt der Großvater von der Walli: »Des is scho komisch, daß's beim erschtn Kind oiwei a so schnell geht!«

Der Vater fragt den jungen Mann, der seine
Tochter heiraten möchte: »Ja, kenna Sie üba-
haupts a Frau ernährn?« – »Des moan i«, sagt
der junge Mann, »de kon i herfuadan, daß'as
zreißt!«

Bei der Trauung in der Kirche setzt sich die Braut auf einmal hin. »Dera is schlecht worn«, wispert eine Frau ihrer Nachbarin zu. – »Ah wo«, sagt die Nachbarin, »de is bloß müad, weil s' so lang hinta eahm hergrennt is!«

*

Ein Mann wartet vor der Schlafzimmertür. Drin ist die Hebamme bei seiner Frau. Vor lauter Aufregung trinkt er einen Schnaps nach dem andern. Endlich holt ihn die Hebamme herein und gratuliert ihm. Dann trinkt er vor lauter Freud noch ein paar Stamperl, wackelt zum Standesamt und sagt zu dem Beamten: »Meine Herrn, i hab heit Zwilling kriagt, zwoa Stück, und de mecht i bei eich omeldn!« – Der Beamte sagt: »Warum sagen Sie ›meine Herrn‹ zu mir, ich bin doch bloß einer!« – »Was, bloß oana?« sagt der Vater, »nacha muaß i glei hoamlaffa und schaugn, ob's aa gwiß zwoa san!«

*

Zwei Freunde treffen sich. Der eine sagt zum andern: »Seitst du vaheirat bist, werst du oiwei jünga!« – »Des stimmt«, sagt der andere, »i rauch aa bloß mehr heimlich.«

Im Hof fragt eine Frau die andere: »Warum plärrt denn Eahna Hundsbua a so?« – Drauf sagt die andere: »Weil'n Eahna bravs Büaberl mit an Stecka auf'n Kopf naufghaut hat!«

*

Die Frau sagt: »Heit müassn ma am Kranz-bichla zum Namenstag gratuliern!« – Drauf fragt der Mann: »Is heit Kranzbichla?«

*

Ein Mann sagt zu seiner Frau: »Du, i hab heit für mi a Lebnsvasicherung üba hunderttausnd Mark abgschlossn.« – »Des is gscheit«, sagt die Frau, »nacha brauchst jetz nimma zum Dokta geh!«

*

Zwei ältere Frauen sitzen auf einer Anlagen-bank und ratschen miteinander. »Sonst taat ma ja nix fehln«, sagt die eine, »bloß hab i in da Nacht oft a so Zahnweh, daß i net schlaffa kon.« – »Des kon mir net passiern«, sagt die andere, »meine Zähn und i – mir schlaffa getrennt.«

Das alte Fräulein sagt zu der Zugehfrau: »Es ist schon arg, wenn man keine Angehörigen hat. Wenn ich einmal gestorben bin, wird niemand mein Grab pflegen.« – »No ja«, sagt die Zugehfrau, »i giaß Eahna scho hie und da.«

*

Der Polizist führt eine alte Frau über die Straße. Ganz vorsichtig steigt sie über die Trambahnschienen. Dann sagt sie: »Wissn S', Herr Schutzmann, i trau mi nia auf d' Trambahnschiena tretn, weil i Angst hab, daß i an elektrischn Schlag kriag.« – »Aba geh, Muadderl, da kenna S' ruhig drauftretn«, sagt der Polizist, »Sie derfa bloß mit'n andan Fuaß net an den Draht da drobn hikemma!«

*

Ein älteres Ehepaar sitzt am Abend auf einer Anlagenbank. Auf der Bank daneben sitzt ein junges Paar. »Schaug nur grad«, sagt die Frau, »wia der de abbusslt, des kanntst du eigentlich aa macha!« – Drauf fragt der Mann: »Moanst, daß s' mi laßt?«

*

Der Breslmeier sitzt am Stammtisch und sagt nichts. »Warum schaugst denn heit gar a so trüabsinnig drei?« wird er gefragt. – »O mei«, sagt er, »mei Oide wui si scheidn lassn, wenn i 's Wirtshausgeh net aufgib!« – »Des is ja furchtbar«, meinen seine Spezln. – »Ja«, sagt der Breslmeier, »sie werd ma scho recht abgeh.«

*

Zwei Männer treffen sich. Der eine sagt zum andern: »I hab ghört, du hast gestan am Stammtisch gsagt, daß i des greßte Rindviech bin, des wo rumlafft. Is des wahr?« – Drauf sagt der andere: »Wahr is' scho, aba gsagt hab i's net.«

*

Jeden Tag nach der Arbeit holt sich der Franz auf dem Heimweg beim Wirt zwei Flaschl Bier. Aber heut geht er an der Wirtschaft vorbei. Der Wirt sieht ihn und schreit ihm nach: »Hä, Franzl, was is' denn heit mit dein Bier?« – »Heit is' nix«, sagt der Franz, »i hab koa Geld dabei!« – »Nacha zahlstas halt morng«, sagt der Wirt. – »Wenn i aba heit nacht stirb?« flaxt der Franz. – Drauf meint der Wirt: »Nacha is aa net vui hi!«

Der Gast schimpft die Kellnerin: »Ich habe
gesehen, wie Sie in meine Suppe geniest
haben!« – »Koa Wunda«, sagt die Kellnerin,
»bei dem Katarrh, wo i hab!«

Der Gast fragt die Kellnerin: »Bittschön, Frei-lein, kannt i statt dem Hammekotlett, des wo i bstellt hab, an Schweinsbratn ham?« – »Des kenna S'«, sagt die Kellnerin und ruft in die Küche hinein: »Für den Hamme a Schwein!«

*

In der Gartenwirtschaft stellt die Kellnerin einem Gast seine Halbe Bier hin. »Da ist ja eine Fliege drin!« sagt er. – Aber die Kellnerin meint: »No ja, wiavui werd denn a so a kloans Viecherl scho dringa?!«

*

Der Gast hat eine Tasse Kaffee und eine Semmel bestellt. Er drückt an der Semmel herum und faucht die Kellnerin an: »De is ja von gestern! I möcht oane von heit!« – Drauf meint die Kellnerin: »Da müaßtn S' morgn kemma!«

*

An einem Tisch in der Wirtschaft schläft ein Gast. Da sagt der Wirt zu der Kellnerin: »Der Bsuffane da hintn soll zahln, nacha führ i'n naus!« – Aber die Kellnerin sagt: »I moan, den solltn ma no a bissl dalassn. Sooft i'n weck, zahlt a!«

In der Wirtschaft geht es recht lebhaft zu. Schon viermal haben sie einen Mann hinausgeschmissen. Er kommt aber immer wieder herein. Beim fünften Mal geht ein Gast hinaus, hilft ihm beim Aufstehen und meint: »Ich würde an Ihrer Stelle nicht mehr hineingehen!« – »I muaß ja«, sagt der Mann, »i bin da Wirt!«

*

Ein Mann kommt in der Nacht aus dem Wirtshaus und auf dem Heimweg stellt er sich an eine Hauswand, weil er muß. Ein Schutzmann sieht das, geht hin und sagt: »Sie, des is verbotn! Des kost Eahna zehn Mark!« – Der Mann gibt ihm die zehn Mark und noch eine Mark dazu und sagt: »Lassn hab i aa oan!«

*

Nach Wiesnschluß schwanken drei Männer zur S-Bahn-Station Hauptbahnhof. Der Zug nach Freising steht schon da. Die drei ratschen vor der Wagentüre miteinander. Der Fahrer schreit: »Zurücktreten!« Da rennt ein Eisenbahner daher und schiebt gerade noch zwei Männer in den Wagen. Die Türen fallen zu und der Zug fährt ab. Der dritte bleibt auf dem Bahnsteig zurück und lacht. Der Eisenbahner sagt zu ihm: »Jetz san S' leida nimma mitkemma, des war da letzte Zug – und da kenna Sie no lacha!« – Der Mann erklärt's ihm: »De zwoa wolltn ja garnet fahrn, de ham mi bloß auf d' Bahn begleitn wolln!«

*

Auf dem Marienplatz streiten zwei Männer miteinander. Sie plärren sich an, einer will den anderen niederschreien. Bald stehen viele Leute um sie herum und es werden immer noch mehr. Da schallt eine Stimme über den Platz: »Lauta, lauta! Da hintn vaschteht ma nix!«

*

Zwei Münchner stehen am Marienplatz. Ein Norddeutscher fragt sie: »Sagen Sie mal, wie komm ick denn hier zum Hofbräuhaus?« – Keine Antwort. – Da fragt er: »Do you speak english?« – Keine Antwort. – Er fragt: »Parlez vous français?« – Keine Antwort. – »Parla italiano?« – Keine Antwort. – Er fragt sie auch noch auf Spanisch, Russisch, Türkisch. –

Keine Antwort. Der Fremde dreht sich um und geht. – Da sagt der eine Münchner zum andern: »Gell, allerhand, was so a Preiss für an Haufa Sprachn ko!« – Aber der andere meint: »Und was hat's eahm gnutzt?«

*

Ein Mann liegt auf dem Trottoir. Ihm ist schwindlig geworden und er ist umgefallen. Ein paar Leute stehen um ihn herum. »An Kragn muaß ma eahm aufmacha, daß a a Luft kriagt!« sagt einer. – »Der muaß ins Kranknhaus!« meint ein anderer. – » I gib mein Mo oiwei an Kognak, wenn eahm schlecht is«, sagt eine Frau. – »Naa, 's beste san Hoffmannstropfn«, meint ein altes Mannderl. – Da macht der Mann die Augen auf und schaut vom Boden aus auf die Leute. »I moan«, sagt er dann, »de Frau da hat recht!«

*

Ein Münchner geht aufs Postamt. Am Schalter sagt er zum Beamten: »I hab jetz a Telefon kriagt, und da brauchat i a Telefonbuach dazua.« – Der Beamte legt ihm die zwei Bände, A bis K und L bis Z, hin. – »Mir langt oans«, sagt der Mann, »sovui telefonier i ja net!«

Nach dem Haarschneiden hält der Friseur dem Kunden den Spiegel hin und fragt: »Gut so?« – Und der Kunde sagt: »Bittschön, a bissl länga!«

Bei einer feinen Party in München unterhält man sich über Musik. Die ständige Begleiterin des Baron Habergeis, Export-Import, sagt: »I find, daß de Sixtinische Kapelle vui bessa spuit ois wia unsare Philharmonika.« – Drauf sagt die Frau Anita Zwirlkofer, Großfuhrunternehmen: »Da kon i net mitredn, i hab de Sixtinische Kapelle no net ghört.«

*

»Sehng S',« sagt der Kramer zu seinem alten Kunden, »des is de moderne Auslagscheibn, de wo i grad kriagt hab!« Er haut ein paarmal mit dem Hammer drauf und sagt: »Da kon i draufhaun, sovui i wui – aba brecha tuat s' net!« – Da meint der Kunde: »A soichas Glump!«

*

Der Meteorologe diktiert seiner Sekretärin die Wetteraussichten für den nächsten Tag: »Vormittags heiter, nachmittags zunehmende Wolkenbildung, abends Regen.« – »O mei«, seufzt die Sekretärin, »und i hab mi scho a so auf des Gartnfest morgn abnd gfreit!« – »No ja«, sagt der Meteorologe, »nacha streicha S' halt den Regn am Abnd!«

Ein Mann mit einem vergipsten Arm in der
Schlinge läutet an der Wohnungstür im vier-
ten Stock. Eine Frau macht auf und er sagt:
»Grüaßgod, i soll bei Eahna a Klavier abholn!«
– Die Frau meint: »Sie – mit einem Arm?«
– Da fragt er: »Wiaso? Ham Sie zwoa Klavier?«

Die Kundin fragt die Metzgerin: »Ist das Hirn auch wirklich frisch?« – »No freili«, sagt die Metzgerin, »heit früah hat's no denkt!«

*

Eine Dame fragt die Marktfrau: »Ist das auch wirklich holländischer Käse?« – Drauf fragt die Marktfrau: »Wolln S' mit eahm redn oda wolln S'n essn?«

*

Der Personalchef sagt: »Sie wollen also Nachtwächter in unserem Kaufhaus werden. Für diesen Posten müssen wir absolute Ehrlichkeit voraussetzen!« – »Des kenna S' bei mir«, sagt der Mann, »i bin zwanzg Jahr Bademoasta gwesn und hab koa oanzigs Bad gnomma!«

*

Am Stammtisch im kleinen Marktflecken Gneislbach wird vom Akademikerüberschuß geredet. Da sagt der Apotheker: »Heitzutag moant halt a jeda Depp, daß a schtudiern muaß. Zu meina Zeit war i in Gneislbach no da oanzige.«

Der Mann sitzt am Steuer, seine Frau daneben. Sie hören aus dem Autoradio: »Achtung, Achtung! Bitte, benützen Sie auf der Autobahn zwischen Irschenberg und Hofolding die äußerste rechte Fahrbahn, denn es kommt Ihnen auf der falschen Fahrbahnseite ein Pkw entgegen!« – Da sagt der Mann: »Oana? Hunderte!«

*

Im Eisenbahnabteil ist es sehr heiß. Ein Mann zieht seine Jacke aus und sagt zu dem Franziskaner, der in seinem braunen Habit ihm gegenüber sitzt: »Sehng S', des kenna Sie net!« – Daraufhin geht der Franziskaner hinaus. Er kommt mit seiner Hose überm Arm wieder zurück und sagt: »Sehng S', des kenna Sie net!«

*

Im Zugabteil fragt ein Fahrgast die Dame, die ihm gegenüber sitzt: »Bittschön, macht's Eahna was aus, wenn i rauch?« – Sie sagt: »Tun Sie, als ob Sie zuhause wären!« –Drauf sagt er: »No ja, nacha halt net.«

*

Ein Mann steigt in den Bus und tritt einem anderen Fahrgast auf den Fuß. Der faucht ihn an: »Können Sie nicht woanders hintreten?« – »Des scho«, sagt der Mann, »aba nacha kanntn S' halt a zeitlang nimma sitzn!«

*

In der Stoßzeit ist wieder einmal der ganze Verkehr steckengeblieben. Ein Fahrer schaut aufs Trottoir hinaus und sagt zu seiner Frau: »Gell, a Fuaßgänger sollt ma halt sei!«

*

Eine alte Münchnerin ist mit dem Altenclub aufs Land gefahren. Beim Spazierengehen bleibt sie vor einem alten Wirtshaus stehen und fragt: »Was is'n dees da drom?« – »Dees is a Sonnenuhr«, wird ihr gesagt. – Sie schaut sich die Sonnenuhr eine Weile an, dann sagt sie: »Mit dem neimodischn Zeigs kennt ma si ja net aus!«

*

Es ist ein verregneter Sommer. Im Ausflugswirtshaus sitzt am Mittag nur ein Gast. Der fragt den Wirt: »Na, wie geht denn das Geschäft bei diesem Wetter?« – Drauf sagt der Wirt: »Des sehng S' ja, nix is' – und am Nachmittag is' no weniga!«

*

In der Früh sagt die Sommerfrischlerin zu der Wirtin: »Heute nacht hat in meinem Zimmer eine Maus gequietscht.« – Drauf sagt die Wirtin: »I wer's mein Mo sagn, daß a s' schmiert.«

*

Im Wirtshaus sitzen Sommerfrischler und unterhalten sich. Am Tisch daneben sitzt ein Einheimischer. Da hört er, wie eine Frau sagt: »Die schönste Sprache ist die französische.« – »Naa, de scheenste Schprach is de boarische«, sagt der Einheimische, »weil ma da a jeds Wort vaschteht!«

*

Ein Münchner Sommerfrischler unterhält sich im Dorf mit einem kleinen Buben. Er fragt ihn: »No, wo steht denn nacha eia Häusl?« – Drauf sagt der Bub: »Hintam Haus!«

Die Frau Wamplinger geht im Kurort in ein Gasthaus zum Mittagessen. Auf der Speisekarte steht unter anderem auch »Schlankheitsmenü«. Sie bestellt es und der Ober bringt ihr's: Tomatensaft, ein paar Salatblätter, ein paar Scheiberl Gelbe Rüben, ein bißl Weißkraut und ein winziges Würsterl. Beim Zahlen sagt sie: »Da bin i schee eiganga!« – Drauf sagt der Ober: »Sehng S', es hat scho gwirkt!«

*

Eine Urlauberin fährt in der Seilbahngondel bergauf. Sie fragt den Schaffner: »Gibt es bei Ihnen manchmal auch ein Unglück?« – »Naa, bei uns gibt's sowas net«, sagt der Schaffner, »aba da kon i Eahna d' Seilbahn auf'n Spitzkogl empfehln, da passiert öfters was!«

*

Ein Fremder sagt zu einem Einheimischen: »Hier in Bayern höre ich jeden Tag soundsooft die Aufforderung ›leck mich ...‹« – »No ja, ma sagt's bloß a so«, meint der Einheimische, »wenn ma's jedsmoi taat, braacht ma ja d' Hosn nimma nauf.«

46

Im Gebirg deutet ein Einheimischer in die Höhe hinauf und fragt den Sommerfrischler: »Sehgn S' des Viech, des wo da drom auf dem spitzign Felsn steht?« – »Nein«, sagt der Fremde. – »Des is a Gams!« sagt der Einheimische.

*

Ein junger Bergführer steigt mit einer Urlauberin auf den Berg. Sie ist recht zutraulich und auf einmal passiert's halt. Nachher meint sie: »Jetzt sind wir aber doch zu weit gegangen!« – »Wahr is'«, sagt der Bergführer, »des hättma drunt aa ham kenna!«

*

Ein Urlauber kommt auf einer Wanderung in ein abgelegenes Dorf. Weil gerade Mittag ist, kehrt er in dem kleinen Wirtshaus ein. »Was kriang ma denn?« fragt die Wirtin. – »Könnt ich einen Schweinsbraten haben?« fragt der Gast. – »Naa«, sagt die Wirtin, »an Schweinsbratn hamma heit net.« – »Dann halt ein Ripperl mit Kraut«, sagt der Gast. – »Leida«, sagt die Wirtin, »Ripperl hab i koans.« – »Aber einen Schmarrn können Sie mir doch machen«, meint der Gast. – »O mei«, sagt die

Wirtin, »des kon i net, weil ma d' Oar ausganga san.« – »Dann geh ich«, sagt der Gast
und geht. – Da rennt die Wirtin auf die Straße
und schreit ihm nach: »Würschtl hab i aa koa!«

*

In einem Gebirgsort geht ein Sommerfrischler
zum Arzt. Der stellt fest: »Mei liaba Herr,
Sie kriang an Kropf!« – Der Patient fragt:
»Was kann man denn da machen?« – Der
Doktor meint: »Am bestn is', Sie lassn Eahna
an Trachtnanzug dazua macha!«

*

Der Urlauber hat zwei Wochen im Dorfgast-
hof gewohnt und heut ist er heimgefahren.
Die Wirtin sagt zum Wirt: »O mei, der hat
gschimpft! 's Weda war eahm z'schlecht, 's
Zimma war eahm z'schlecht, 's Essn war eahm
z'schlecht, d' Bedienung war eahm z'schlecht,
ois' war eahm z'schlecht.« – »No ja«, sagt der
Wirt, »wenn a nur sunst zfriedn gwesn is!«

*

Ein Sommerfrischler läßt sich in der Bergwirt-schaft auf einen Stuhl fallen. Fast ist ihm der Schnaufer ausgegangen. Die Kellnerin sagt zu ihm: »Sie müassn ja grennt sei wiar a gschtutz-ta Hund!« – »Was erlauben Sie sich?!« faucht der Gast. – »No ja«, sagt die Kellnerin, »i hab halt gmoant, weil S' schwitzn wiar a Sau!«

*

Bayrische Pilger sind in Rom beim Ansichts-kartenschreiben. Da sagt eine Pilgerin: »Jetz müassma schaung, wo ma Briafmarkn her-kriang!« – Drauf sagt eine andere: »I brauch koa, i hab ma de mein' vo dahoam mit-gnumma!«

*

Ein Münchner kommt aus dem Vatikani-schen Museum. Vor dem Eingang fragt ihn ein deutscher Landsmann: »Ist hier drinnen die Laokoon-Gruppe?« – »Des woaß i net«, sagt der Münchner, »i ghör zu da Touropa-Gruppe.«

*

In Kraglfing ist ein Trachtenerhaltungsverein gegründet worden. Am Sonntag ist Fahnenweihe. Auf einem Plakat am Rathaus steht: »Um 9 Uhr Festzug zum Feldgottesdienst auf dem Fußballplatz. Nach Ankunft Aufstellung der Fahne am Altar in Begleitung von vier Ehrenjungfrauen. Anschließend Enthüllung derselben.«

*

Beim Trachtenfest tanzt ein Bursch vom Nachbardorf mit der Rosi. »Mei, bist du a saubas Deandl«, sagt er, »a so a liabs Gsichtl, direkt zum Obeissn!« – Da wispert die Rosi: »A so bin i vo obn bis unt!«

*

Über dem Dorf geht ein schweres Gewitter nieder. Der Sommerfrischler sitzt mit der Bauernfamilie in der Stube und sagt: »Früher haben Sie immer eine Wetterkerze angezündet!« – Der Bauer erklärt's ihm: »Des braucht's nimma, mir san jetzt in da Brandvasicherung!«

*

Beim Bichlmoser haben sie fünf Kinder. Da sagt auf einmal der Bichlmoser zu der Bichlmoserin: »I moan oiwei, da Flori is net vo mir!« – »Da teischst di«, sagt die Bichlmoserin, »grad der is vo dir!«

*

Beim armen Häuslmann im Dorf ist das achte Kind gekommen. »Des muaß aufhörn«, sagt er zu seiner Frau, »vo heit o schlaf i aufn Dachbodn!« – »Wennst moanst, daß des huift«, sagt die Frau, »nacha kimm i halt aa auffi.«

*

Der Sohn Anderl ist sechzehn geworden. Die Mutter sagt zum Vater: »Jetz werd's Zeit, daß d'n aufklärst!« – »Guat«, sagt der Vater, »nacha klär i'n hoid auf.« Wie er grad mit dem Sohn allein ist, sagt er zu ihm: »Oiso, Anderl, jetz muaß i da's sagn: des Mofa, des wost auf Weihnachtn kriagt hast, des is net vom Christkindl, sondan vom Neckermann.«

*

Der Alisi war bei der Musterung. Seine Spezln fragen ihn: »No, wia is' da denn ganga?« – »Gug­uguguad«, sagt der Alois, »iii braubrau­brauch nenened zuzuzum Mimimiledär!« – »Wia hast denn des gmacht?« wollen die Spezln wissen. – Er meint: »Mamama mua­muamuaß hohohoid mimimid dede Leilei­leid rereredn!«

*

Der Wastl sagt zu seinem Freund Muckl: »I hab heit bei mein Bauan kündigt!« – »Wiaso des?« fragt der Muckl. »I hab oiwei gmoant, du hast bei dem an guatn Platz!« – »No ja, da Platz waar scho guat gwen«, sagt der Wastl, »aba wiar a Sau vareckt is, hat's vier Wocha lang jedn Tag a Schweinas gem. Wia nacha a Kuah umgschtandn is, hat's acht Wocha lang a Rindfleisch gem. Wiar an Simmerl, den oidn Heita, da Schlag troffa hat, nacha hamma zehn Wocha lang an Simmerl gfressn.« – Da fragt der Muckl: »Und deszwegn gibst du den guatn Platz auf?« – Und der Wastl sagt: »Jetz liegt d' Großmuadda im Schterm!«

*

Ein altes Weiberl hatscht in der Mittagshitze auf der Landstraße dahin. Da hält ein Autofahrer und fragt's: »Darf ich Sie ein Stück mitnehmen?« – Drauf sagt's: »Gell, des daad Eahna passn!«

*

Ein alter Bauer ist mit seiner Bäuerin in der Stadt. Sie gehen auch in eine Kunstausstellung. Vor einer ›Leda mit dem Schwan‹ bleiben sie eine Weile stehen. Da meint die Bäuerin: »Wenigstns an Schurz hätt sa si oziang kenna beim Gansrupfa!«

*

In der kleinen Stadt geht ein Fremder auf den Friedhof. Er unterhält sich mit dem Totengräber und fragt ihn: »Haben Sie viel zu tun?« – »Jetz im Somma net«, sagt der Totengräber, »da san de Dokta alle im Urlaub.«

*

Zwei alte Freundinnen treffen sich wieder einmal. Die eine fragt die andere: »Wia geht's da denn?« – »Guat«, sagt die andere, »seitdem daß mei Dokta gschtorm is, fehlt ma nix mehr!«

Ein Madl kommt zum Arzt und sagt: »Herr Dokta, i glaab, i bin a bissl in da Hoffnung, und da mecht i ma vo Eahna a Abtreibung macha lassn.« – »Ah geh, Freilein«, sagt der Doktor, »zwegn dem Bissl braucht's des doch net!«

*

Der Doktor sagt zum Patienten: »Wenn Sie so weitersaufen, werden Sie nicht alt!« – »Da ham S' recht, Herr Dokta«, sagt der Patient, »'s Saufa halt oan jung!«

*

Der Herr Bemsl läßt sich massieren. Der Masseur walkt ihn eine halbe Stunde lang richtig her und am Schluß haut er ihn dreimal auf den Hintern, daß es nur so scheppert. Der Herr Bemsl zuckt dreimal zusammen und fragt: »Muaß des sei?« – »No ja«, sagt der Masseur, »des hoaßt bei mir sovui ois wia: der Nächste, bitte!«

*

's Muatterl is 96, 's Vaterl 97. Ein Sohn von ihnen stirbt mit 76. Da sagt 's Muatterl: »I hab ma's ja denkt, daß ma den net durchbringa!«

*

Ein altes Weiberl liegt im Sterben. Der Pfarrer sagt: »No ja, es wird schon alles recht wern, gell, Muatterl. Ich weiß ja, daß es bei Ihnen nicht am Glauben fehlt!« – »Naa, gwiß net, Herr Pfarra«, sagt das Weiberl, »i glaab ois', ob's wahr is oda net!«

*

Der alte Bauer liegt im Sterben. Der Pfarrer ist bei ihm, und nach einer Weile sagt er: »So, Vadda, jetz bist guat vorbereit' für d' Ewigkeit.« – Drauf meint der Bauer: »Lacha müaßt i, wann i in d' Höll kaam!«

*

Ein Politiker ist gestorben. Er wollte in seinem kleinen Heimatort beerdigt werden. Der Bürgermeister hält eine Grabrede. Er fängt an: »Mit unserem verstorbenen Mitbürger ist ein großer Politiker dahingegangen. Leider stirbt nicht jeden Tag ein solcher!«

Der Hachtlbauer ist mit dem Ranftlbauern schon lang zerkriegt. Da kommt der Bürgermeister zum Hachtl und sagt: »Da Ranftl is sterbatskrank. I moan, dees waar hoid schee, wannst di mit eahm aussöhna taatst, bevor's dahigeht mit eahm!« – Drauf meint der Hachtl: »Aba was is' nacha, wenn a wieda werd?«

*

Eine Frau erzählt einer andern: »Gestern hab i in da Stadt Eahnan Mo gsehng, aba er hat mi net gsehng.« – Da sagt die andere: »Ja, er hat ma's scho gsagt, daß a Eahna net gsehng hat.«

*

Ein dicker Gendarm läuft auf der Landstraße hinter einem Landstreicher her. Er kann's schon fast nicht mehr derschnaufen. Da schreit er, so gut er's noch kann, dem Landstreicher nach: »Laffa S' doch langsama – sonst kemma mir nia zamm!«

*

Nach der Wirtshausrauferei gibt es eine Gerichtsverhandlung. Der Wirt erzählt den Hergang: »No ja, nacha ham s' halt d' Stui packt und ham damit zuaghaut.« – Der Richter fragt ihn: »Hätten Sie den Streit nicht schlichten können?« – »Naa«, sagt der Wirt, »es war koa Stui mehr frei.«

*

Nach einem Fluchtversuch aus dem Gefängnis steht der Häftling vor dem Richter. Der sagt: »Sie wissen, daß Sie sich damit strafbar gemacht haben?!« – Da meint der Häftling: »Eich kon ma nix recht macha – eibrecha soll i net, ausbrecha soll i net ...«

*

Aus dem Straubinger Gefängnis ist ein Häftling ausgebrochen. An die Polizeidienststellen werden drei Fahndungsfotos geschickt, auf denen der Kopf des Häftlings von vorn, von links und von rechts zu sehen ist. Bald darauf wird der Gefängnisdirektor angerufen: »Hier Polizeistation Niederschnarchlfing. Mir ham alle drei gfangt! Was solln ma mit eahna toa?«

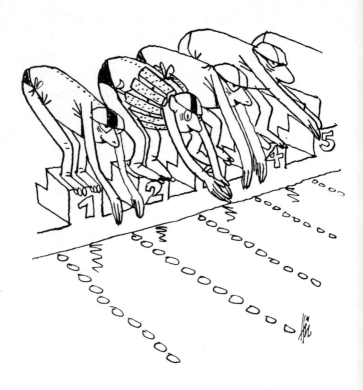

Nach dem Wettschwimmen sitzt der Schwimmverein im Wirtshaus. Der Vorstand hält eine Rede und er sagt: »Leider war es unserer Mannschaft nicht gegönnt, daß sie als Sieger heimgekehrt ist, aba samma froh, daß koana dasuffa is!«

Der Richter sagt zum Hias: »Jetzt stehen Sie schon wieder wegen Wilderns vor Gericht!« – »Naa, Herr Richta«, sagt der Hias, »desmoi bin i unschuidig!« – Der Richter deutet auf das Gewehr, das auf dem Richtertisch liegt: »Aber das ist doch Ihr Gewehr!« – »Naa, Herr Richta«, sagt der Hias, »des is durchaus net mei Gwaahr, ganz gwiß net!« – »Na ja«, meint der Richter, »Sie scheinen diesmal wirklich unschuldig zu sein. Ich hoffe, daß Sie sich endlich gebessert haben! Damit schließe ich die Verhandlung.« – Da fragt der Hias: »Aba mei Gwaahr derf i scho mitnehma?«

*

Die Sportler sitzen vor ihrem Clubhaus. Da rennt der Hausmeister heraus und schreit ganz aufgeregt: »Eibrocha is worn bei uns! Wiar i in d' Gardrob neikimm, steht oana drin und langt grad in a Joppntaschn nei und ziagt a Briaftaschn raus. Wiar a mi gsehng hat, is a zum Fensta naus und davo!« – »Den wern ma glei ham!« sagt ein Fünftausendmeterläufer, und schon startet er. Nach einer Weile kommt er zurück und erzählt: »I hab'n natürli bald eigholt ghabt, nacha hab i'n übaholt, und wiar i scho an schöna Vorsprung ghabt hab, schaug i um – und weg war a!«

Im Revier des Försters wird immer wieder ge-wildert. Heut will er den Kerl endlich fassen. Er schleicht in aller Frühe durch den Wald. Da kommt ein Mann mit einem Rehbock auf den Schultern daher. Der Förster schreit ihn an: »Jetz hab i di, Bürscherl! Jetz is' aus mit'n Wuidan!« – »I und wuidan?« sagt der Mann, »i kannt ja koana Fliagn was toa, um wiavui weniga an so an arma Böckerl!« – Der Förster faucht ihn an: »Und was is'n nacha des, was d' da aufn Buckl hast?!« – Der Mann schaut um und schreit: »Um Godswuin – a Viech!«

*

Ein Jäger nimmt einen Freund mit auf die Jagd und gibt ihm ein Gewehr. Der Freund schießt auf einen Hasen, trifft ihn aber nicht. Der Jäger meint: »Da muaßt nomoi schiaßn, der hat scheint's dein Schuß net ghört!«

*

Ein Angler steht am See. Ein Spaziergänger fragt ihn: »Beißen die Fische?« – »Ah wo«, sagt der Angler, »de kenna S' ruhig streichln!«

*

Ein Angler zieht einen Fisch aus dem See und schlägt ihn an einem Stein tot. Ein Spaziergänger schaut ihm zu und meint: »Das ist aber roh! Kann man die armen Fische nicht auf eine andere Art töten?« – »O mei«, sagt der Angler, »de san des scho a so gwohnt!«

*

Zwei Frösche treffen sich am Weiher. »Warum schaugst denn gar a so trüabsinnig drei?« fragt der eine den andern. Der sagt: »Zu meina Frau is heit früah da Storch kemma.«

*

Ein Mann kommt in eine Tierhandlung und verlangt einen Papagei. Der Verkäufer deutet auf einen Käfig und sagt: »Der da drin, des is a ganz a guada!« – Der Kunde fragt: »Warum hat denn der Schnürln an seine Füaß?« – Der Verkäufer sagt: »Jetz passn S' auf!« Er zieht am Schnürl vom rechten Fuß und der Papagei krächzt: »Guadn Morgn!« Er zieht am Schnürl vom linken Fuß und der Papagei krächzt: »Guade Nacht!« – Der Kunde fragt: »Und was sagt a, wenn ma an de zwoa Schnürl auf oamoi ziahgt?« – Da krächzt der Papagei: »Nacha haut's mi abi vom Stangerl, du Depp!«

An einem Seeufer schimpft ein Fremder einen Einheimischen: »Nehmen Sie Ihren Dackel an die Leine! Ich wollte gerade ins Wasser gehen, da hat er mich in den Fuß gebissen! Das ist doch unglaublich!« – »No, unglaublich is des grad net«, sagt der Einheimische. »Unglaublich waar's gwesn, wenn Eahna mei Dackl ins Gnack bissn hätt!«

*

Der Kare hat seine neue Braut in die Wirtschaft mitgebracht und sie dem Lucke vorgestellt. Am andern Tag fragt der Lucke den Kare: »Wo hast denn dee aufgablt?« – »Beim Heiratsvamittla«, sagt der Kare. – Drauf sagt der Lucke: »I hab gmoant, beim Gebrauchtwarnhändla.«

*

»A Kalbsbrust«, sagt der Kare zur Kellnerin. – Sie fragt: »Mit an Salat?« – »Naa«, sagt der Kare, »mit an Büstnhalta!«

*

Der Kare und der Lucke kommen aus dem Wirtshaus. Der Kare fragt den Lucke: »Kennst du de zwoa, de wo da daherkemma?« – »I siech bloß oan«, sagt der Lucke. – »Bloß oan?« sagt der Kare. »Nacha hab i mi vazählt.«

*

Der Kare und der Lucke gehen in der Nacht vom Wirtshaus heim. Der Kare schaut um und sagt: »Du, Lucke, hinta uns genga zwoa Burschn. I moan, mir solltn schnella geh!« – Der Lucke sagt: »Du Schissa! De tean uns doch nix!« – »Dene trau i net«, sagt der Kare, »de san zu zwoat und mir san alloa!«

*

Der Kare erzählt dem Lucke: »Da Bene is gestan a so bsuffa gwen, daß a's oide Rathaus vakafft hat.« – »A so a Blädsinn!« sagt der Lucke. – »Aba an greßtn Blädsinn hab i gmacht«, sagt der Kare, »i hab's eahm um hundat Mark abkafft!«

*

Der Kare erzählt dem Lucke: »Woasstas scho? Da Bene hat si darennt mit sein nei'n Wagn.« – »Ja«, meint der Lucke, »so schnell kon's geh mit hundatsechzge!«

Der Kare erzählt dem Lucke: »Da Dachdecka-moasta Dirscherl is von an Auto übafahrn worn.« – Da fragt der Lucke: »Ja, wia is denn der Wagn aufs Dach auffikemma?«

Der Kare und der Lucke stehen am Fahrkartenschalter im Hauptbahnhof. »Zwoa Fahrkartn, bittscheen!« sagt der Kare. – »Wohin?« fragt der Beamte. – Und der Kare fragt: »Was kanntn S' uns denn empfehln?«

*

Der Kare kommt aus dem Urlaub zurück. Der Lucke fragt ihn: »No, wia war's denn?« – »Nix war's«, sagt der Kare, »dauernd hat's grengt und's Weda is aa oiwei schlecht gwesn.«

*

Der Kare und der Lucke machen eine Bergtour. Sie stapfen auf einem schmalen Steig dahin, der Kare voraus, der Lucke hintennach. Da tritt der Lucke dem Kare auf die Ferse. Drauf dreht sich der Kare um und fragt: »Bist des du gwesn?«

*

Der Kare hat eine Stelle in einem Büro bekommen. Am Abend trifft er den Lucke im Wirtshaus. Der fragt ihn: »No, was hast denn da heit to?« – »Fliang hab i gfangt«, sagt der Kare. – »Sonst nix?« fragt der Lucke. – »No ja«, sagt der Kare, »a Weps is aa dabei gwen.«

Der Kare erzählt dem Lucke von seiner Afrikareise, die er mit dem Reisebüro gemacht hat: »Gegn Abnd ham s' in da Wüste a Zelt für uns aufbaut, und i hab ma denkt, jetz gehst no a bißl spaziern. Und i geh oiso in d' Wüste naus, und auf oamoi siech i an Löwn hinta mir. I renn davo, er mir nach, und wiar a mi grad packa wui – bin i auf an Baam nauf.« – »Geh, Kare«, sagt der Lucke, »in da Wüste gibt's doch gar koan Baam!« – Aber der Kare sagt: »In dem Moment war mir des wurscht!«

*

Der Kare trifft den Lucke. Dem Lucke fehlen vorn zwei Zähne. Der Kare fragt ihn: »Ja, Lucke, wer hat di denn a so zuagricht?« – Der Lucke erklärt's ihm: »I bin beim Zahnarzt gwen und hab ma an Zahn reissn lassn. Des hat fimfazwanzg Mark kost. I hab eahm an Fuchzga gem, aba er hat ma net rausgem kenna. No ja, nacha hab i ma halt no oan reissn lassn.«

*

Der Kare und der Lucke sitzen im Zirkus. Alles schaut gespannt in die Manege, wo der Dompteur dem Löwen seinen Kopf ins Maul steckt. Da fragt der Kare den Lucke: »Kanntst du des aa?« – »Naa, des kannt i net«, sagt der Lucke, »i mag koane Haar im Mäu.«

*

Der Kare und der Lucke gehen in die Oper. In der Pause sagt der Kare: »Gell, Lucke, der Tenor singt prima!« – Drauf sagt der Lucke: »Wenn i dem sei Stimm hätt, kannt i's aa!«

*

Der Kare sagt zum Lucke: »Wenn i mei Rente kriag, hock i mi z'erscht amoi sechs Wocha in' Schauklstui eini und tua garnix.« – »Und was tuast denn nacha?« fragt der Lucke. – Drauf sagt der Kare: »Nacha fang i's Schaukln o.«

*

Ein junger Ber... ...er steigt mit einer Urlauberin a... ...ist recht zutraulich
und auf...
sie...
g...
hä...

»A Witz, der wo ned druckreif war.«